Dominique Falda

Quel bazar
chez Zoé !

Ribambelle
HATIER

© HATIER, PARIS, 2000,   ISBN 2 218 72950 4
LOI N° 49956 DU 16 JUILLET 1949
SUR LES PUBLICATIONS DESTINÉES À LA JEUNESSE

Cette semaine, dans ma maison,
il s'est passé des tas de choses
étranges, extraordinaires.
C'est étrange, c'est bizarre,
quel bazar !

Lundi, quelle drôle d'histoire,
j'ai trouvé un ours velu dans
mon placard.

Il semblait fatigué.
Il ne voulait pas être dérangé.

Alors j'ai dit :
« C'est étrange, c'est bizarre,
non mais quel bazar ! »

Et j'ai fermé la porte à clef pour
qu'il puisse se reposer.

Mardi, quelle drôle d'histoire,
il y avait une girafe qui pataugeait
dans mon bain.

Elle semblait
avoir soif.

Alors j'ai dit :
« C'est étrange, c'est bizarre,
non mais quel bazar ! »

Et je l'ai laissée dans la baignoire
pour qu'elle puisse y boire.

Mercredi, quelle drôle de surprise,
j'ai ouvert le réfrigérateur, un petit
pingouin m'a saluée.

Il semblait avoir trop chaud.

Alors j'ai dit :
« C'est étrange, c'est bizarre,
non mais quel bazar ! »

Et je l'ai déposé dans le congélateur
pour qu'il puisse se rafraîchir,
manger quelques glaces.

Jeudi, quelle drôle d'histoire,
j'ai découvert dans mon jardin
une princesse perchée sur
une citrouille.

Elle avait une pantoufle dans la main et semblait attendre quelqu'un.

Alors j'ai dit :
« C'est étrange, c'est bizarre,
non mais quel bazar ! »

Et je lui ai offert un livre pour
qu'elle puisse passer le temps.

Vendredi, quelle drôle de surprise,
il y avait un monstre vert caché
sous mon lit.

Il ne voulait pas sortir mais
n'arrivait pas à s'endormir.

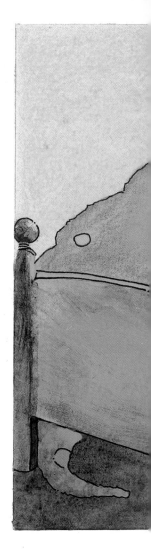

Alors j'ai dit :
« C'est étrange, c'est bizarre,
non mais quel bazar ! »

Et je lui ai prêté
ma poupée préférée
en lui souhaitant bonne nuit.

Et samedi, que s'est-il passé ?

Samedi, il n'y a rien eu :
pas d'ours fatigué,
pas de girafe assoiffée,
pas de pingouin en sueur,
pas de princesse qui s'ennuie,
pas de monstre insomniaque.

Alors j'ai dit :
« C'est étrange,
c'est bizarre,
pas de bazar. »
Toute seule,
je me suis ennuyée.

Dimanche, je les ai tous invités.
L'ours est venu avec un oreiller,
la girafe avec une serviette de bain,
le pingouin avec des patins à glace,

la princesse avec son prince charmant
et le monstre vert avec ma poupée.
Alors j'ai crié :
« Nous allons faire le bazar ! »
Et on s'est bien amusés.

Et puis j'ai dit : « Silence, nous allons regarder un film étrange et bizarre à la télévision. »

Alors on s'est tous assis sur
le canapé, sagement,
silencieusement…

...et on s'est tous endormis !

Achevé d'imprimer
sur les presses de Pollina - n° L 83779B
DL 18970 - mai 2001
Graphisme : studio J. Saladin